KB270282

FLOWERS COME TO LIFE
DIARY BOOK

저자 김신정(MELT)은 그래픽 디자이너. 블로그 [MELT]를 통해
'만 원으로 꽃다발 만들기 프로젝트'를 연재하여 많은 이들에게 큰 호응을 얻었다.
Flower School New York의 Floral Design program을 졸업하고.
FleursBELLA NY에서 인턴쉽을 마쳤다.
꽃과 그린 라이프스타일에 관심을 가지고 지속적으로 콘텐츠를 만들어나가고 있다.
저서로는《플라워 컴 투 라이프 FLOWERS COME to LIFE》가 있다.

BLOG : m_e_l_t.blog.me
INSTAGRAM : @m_e_l_t_nikki

FLOWERS COME TO LIFE
DIARY BOOK

1판 1쇄 인쇄 | 2017년 9월 7일
1판 1쇄 발행 | 2017년 9월 18일

지은이 김신정
펴낸이 김기옥

실용본부장 박재성
편집 이나리. 류인경
영업 · 마케팅 김선주. 손혜인
지원 고광현. 김형식. 임민진. 김주현

디자인 스튜디오 고민
인쇄 현문인쇄
제본 광신제책사

펴낸곳 한스미디어(한즈미디어(주))
주소 121-839 서울시 마포구 서교동 양화로 11길 13(서교동. 강원빌딩 5층)
전화 02-707-0337 | 팩스 02-707-0198 | 홈페이지 www.hansmedia.com
출판신고번호 제 313-2003-227호 | 신고일자 2003년 6월 25일

ISBN 979-11-6007-185-6 13630
책값은 뒤표지에 있습니다.
잘못 만들어진 책은 구입하신 서점에서 교환해 드립니다.

MY FLOWER RECIPE

DATE	FLOWER	MEMO

MY FLOWER RECIPE

DATE	FLOWER	MEMO

MONDAY	TUESDAY	WEDNESDAY

TO DO

THURSDAY	FRIDAY	SATURDAY	SUNDAY

MONDAY	TUESDAY	WEDNESDAY

TO DO

THURSDAY	FRIDAY	SATURDAY	SUNDAY

MONDAY	TUESDAY	WEDNESDAY

TO DO

THURSDAY	FRIDAY	SATURDAY	SUNDAY

MONDAY	TUESDAY	WEDNESDAY

<table>
<tr><th>THURSDAY</th><th>FRIDAY</th><th>SATURDAY</th><th>SUNDAY</th></tr>
</table>

MONDAY	TUESDAY	WEDNESDAY

TO DO

THURSDAY	FRIDAY	SATURDAY	SUNDAY

MONDAY	TUESDAY	WEDNESDAY

TO DO

<table>
<tr><td>THURSDAY</td><td>FRIDAY</td><td>SATURDAY</td><td>SUNDAY</td></tr>
</table>

MONDAY TUESDAY WEDNESDAY

TO DO

THURSDAY	FRIDAY	SATURDAY	SUNDAY

TO DO

THURSDAY	FRIDAY	SATURDAY	SUNDAY

MONDAY	TUESDAY	WEDNESDAY

TO DO

THURSDAY	FRIDAY	SATURDAY	SUNDAY

MONDAY	TUESDAY	WEDNESDAY

TO DO

THURSDAY	FRIDAY	SATURDAY	SUNDAY

MONDAY	TUESDAY	WEDNESDAY

TO DO

<table>
<tr><th>THURSDAY</th><th>FRIDAY</th><th>SATURDAY</th><th>SUNDAY</th></tr>
</table>

MONDAY

TUESDAY

WEDNESDAY

TO DO

THURSDAY	FRIDAY	SATURDAY	SUNDAY

MONDAY	TUESDAY	WEDNESDAY

TO DO

THURSDAY	FRIDAY	SATURDAY	SUNDAY

WEEKLY

MON	TUE
WED	THU
FRI	SAT / SUN

MEMO

WEEKLY

MON	TUE
WED	THU
FRI	SAT / SUN

WEEKLY

MON

TUE

WED

THU

FRI

SAT / SUN

MEMO

MON	TUE
WED	THU
FRI	SAT / SUN

WEEKLY

MON

TUE

WED

THU

FRI

SAT / SUN

MEMO

WEEKLY

MON	TUE

WED	THU

FRI	SAT / SUN

MON

TUE

WED

THU

FRI

SAT / SUN

MEMO

MON

TUE

WED

THU

FRI

SAT / SUN

MON

TUE

WED

THU

FRI

SAT / SUN

MEMO

MON

TUE

WED

THU

FRI

SAT / SUN

WEEKLY

MON

TUE

WED

THU

FRI

SAT / SUN

MEMO

MON

TUE

WED

THU

FRI

SAT / SUN

WEEKLY
MON
TUE
WED
THU
FRI
SAT / SUN

MEMO

MON

TUE

WED

THU

FRI

SAT / SUN

MON

TUE

WED

THU

FRI

SAT / SUN

MEMO

WEEKLY

MON	TUE
WED	THU
FRI	SAT / SUN

MON

TUE

WED

THU

FRI

SAT / SUN

MEMO

WEEKLY

MON

TUE

WED

THU

FRI

SAT / SUN

WEEKLY

MON

TUE

WED

THU

FRI

SAT / SUN

MEMO

MEMO

WEEKLY

MON	TUE
WED	THU
FRI	SAT / SUN

WEEKLY

MON

TUE

WED

THU

FRI

SAT / SUN

MEMO

WEEKLY

MON

TUE

WED

THU

FRI

SAT / SUN

WEEKLY
MON
TUE
WED
THU
FRI
SAT / SUN

MEMO

MON

TUE

WED

THU

FRI

SAT / SUN

WEEKLY

MON	TUE
WED	THU
FRI	SAT / SUN

MEMO

WEEKLY

MON

TUE

WED

THU

FRI

SAT / SUN

BIKE LANE

MON	TUE
WED	**THU**
FRI	**SAT / SUN**

MEMO

WEEKLY

MON

TUE

WED

THU

FRI

SAT / SUN

MON

TUE

WED

THU

FRI

SAT / SUN

MEMO

WEEKLY

MON

TUE

WED

THU

FRI

SAT / SUN

WEEKLY

MON	TUE
WED	THU
FRI	SAT / SUN

MEMO

MON

TUE

WED

THU

FRI

SAT / SUN

WEEKLY

MON

TUE

WED

THU

FRI

SAT / SUN

MEMO

WEEKLY

MON

TUE

WED

THU

FRI

SAT / SUN

WEEKLY

MON

TUE

WED

THU

FRI

SAT / SUN

MEMO

WEEKLY

MON

TUE

WED

THU

FRI

SAT / SUN

MON

TUE

WED

THU

FRI

SAT / SUN

MEMO

MON

TUE

WED

THU

FRI

SAT / SUN

WEEKLY

MON

TUE

WED

THU

FRI

SAT / SUN

MEMO

WEEKLY

MON

TUE

WED

THU

FRI

SAT / SUN

WEEKLY

MON

TUE

WED

THU

FRI

SAT / SUN

MEMO

WEEKLY

MON

TUE

WED

THU

FRI

SAT / SUN

WEEKLY

MON

TUE

WED

THU

FRI

SAT / SUN

MEMO

MON

TUE

WED

THU

FRI

SAT / SUN

MON

TUE

WED

THU

FRI

SAT / SUN

MEMO

WEEKLY

MON

TUE

WED

THU

FRI

SAT / SUN

WEEKLY

MON

TUE

WED

THU

FRI

SAT / SUN

MEMO

MON

TUE

WED

THU

FRI

SAT / SUN

WEEKLY

MON

TUE

WED

THU

FRI

SAT / SUN

MEMO

MON

TUE

WED

THU

FRI

SAT / SUN

WEEKLY

MON

TUE

WED

THU

FRI

SAT / SUN

MEMO

MON

TUE

WED

THU

FRI

SAT / SUN

WEEKLY

MON

TUE

WED

THU

FRI

SAT / SUN

MEMO

MON	TUE
WED	THU
FRI	SAT / SUN

WEEKLY
MON
TUE
WED
THU
FRI
SAT / SUN

MEMO

WEEKLY

MON

TUE

WED

THU

FRI

SAT / SUN

The New York Times
ook Review

MON

TUE

WED

THU

FRI

SAT / SUN

MEMO

MON

TUE

WED

THU

FRI

SAT / SUN

INGREDIENTS

수국

라일락

리시안셔스

유칼립투스(파블로)

ETC

와이어, 스트라이프 리본

HOW TO MAKE

1 수국 줄기의 잎은 꽃다발의 높이에 맞추어 다듬어줍니다.

2 리시안셔스와 라일락 줄기에 붙은 잎들은 꽃가위나 손으로 다듬어주세요.
  유칼립투스도 줄기 중간 아래쪽에 붙어 있는 잎들을 깨끗이 정리해줍니다.

3 수국의 꽃잎 사이사이에 리시안셔스 두어 송이를 꽂아줍니다.
  남은 리시안셔스도 수국의 주위로 보기 좋게 잡아줍니다.

4 라일락과 유칼립투스 잎은 뒤쪽으로 자연스럽게 넣어주면 되는데, 정해진
  법칙 없이 자신이 생각할 때 어울리는 위치에 군데군데 배치해주면 됩니다.

5 꽃다발이 완성되면 와이어로 묶은 뒤, 밑단을 꽃가위로 잘라주고
  스트라이프 리본으로 묶어줍니다.

TIP

INGREDIENTS

라넌큘러스

ETC

꽃테이프, 리본

HOW TO MAKE

1 기다란 라넌큘러스의 줄기는 다듬기 전에 한번 잘라주세요.

2 줄기가 약하니 살살 조심하면서 잎들을 깨끗이 정리해줍니다.

3 라넌큘러스 세 송이를 먼저 잡아줍니다.

4 오른쪽 방향으로 꽃을 한 송이씩 추가해줍니다.

5 꽃다발이 완성되면 꽃테이프로 줄기를 감아준 뒤, 밑단을 깨끗하게
  정리하고 리본으로 묶어주면 완성입니다.

TIP

INGREDIENTS

골든볼

미니 델피늄

베로니카

ETC

꽃테이프, 라피아 끈

HOW TO MAKE

1 각 소재의 줄기에 붙은 잎을 깨끗이 정리해줍니다.

2 베로니카와 골든볼, 미니 델피늄을 한 송이씩 잡아줍니다.

3 꽃다발을 돌려가면서 오른쪽으로 꽃을 추가해줍니다.

4 이때 베로니카의 길이는 다양하게 넣어주면서 전체적인
   밸런스를 맞춰줍니다.

5 꽃다발 모양이 어느 정도 완성되면 꽃테이프로 감아준 뒤
   줄기를 적당히 잘라주고 라피아 끈으로 묶어주면 완성됩니다.

TIP

MEMO

DATE   THEME

PHOTO

INGREDIENTS   HOW TO MAKE

ETC

TIP

MEMO

DATE

THEME

PHOTO

INGREDIENTS

HOW TO MAKE

ETC

TIP

MEMO

DATE

THEME

PHOTO

INGREDIENTS

HOW TO MAKE

ETC

TIP

MEMO

DATE   THEME

PHOTO

INGREDIENTS   HOW TO MAKE

ETC

TIP

MEMO

DATE   THEME

PHOTO

INGREDIENTS   HOW TO MAKE

ETC

TIP

MEMO

DATE

THEME

PHOTO

INGREDIENTS

HOW TO MAKE

ETC

TIP

MEMO

DATE

THEME

PHOTO

INGREDIENTS

HOW TO MAKE

ETC

TIP

MEMO

DATE   THEME

PHOTO

INGREDIENTS   HOW TO MAKE

ETC

TIP

MEMO

PHOTO

INGREDIENTS

HOW TO MAKE

ETC

TIP

MEMO

DATE

THEME

PHOTO

INGREDIENTS

HOW TO MAKE

ETC

TIP

MEMO

MEMO

MEMO

MEMO

SLOW

MEMO

MEMO

MEMO

MEMO

KAONOULU ST
STOP

MEMO

MEMO

MEMO

MEMO

NAME

BIRTHDAY

BLOOD TYPE

ADDRESS

MOBILE

E-MAIL

SOCIAL NETWORK

FAVORITE FLOWER

FAVORITE COLOR

EMERGENCY CALL